BAS

WARM-UPS

by Chris Matheos

ATN, inc.

私のために時間をさき、サポートしてくれた下記のみなさんに感謝します。世界一すばらしいベースを作ってくれた***Keith Roscoe***、A.R.T.の***Rob Reid***、David Eden Amplifiers、Majestic Music NCのみなさん、Coleman Music NC、Evans Music NC、ダラスのすべての***King***、私の家族と妻***Laura***。

Chris Matheos

Audio Recording : Malavase Studios in Holcomb,N.Y.、**Produced :** *Dirk Malavase*、**bass :** *Chris Matheos*、**bass & voice :** *Dirk Malavase*

Chris Matheos plays : Roscoe Basses、Songbird Basses、David Eden Amplifiers

はじめに

この小さなクイックガイド（*QWIKGUIDE*）を手にしてくれたキミに、そろそろ本格的にベースのトレーニングを始めようと考えているキミに、そして、この本で腕前を一段とアップグレードしようと決心したキミに、まずは親愛をこめてエールを送りま〜す。

あなたの乗っていた船が難破して、南太平洋の無人島にひとり漂着しました。食料は何もなく、おなかはペコペコ。そこに、毒々しい色のグロテスクな魚が打ち上げられました。こんな状況におかれたらキミならどのような行動をとりますか？

①「スキッパラにまずいものな〜し！(Hunger is the best sauce!)」と叫びながら、いきなりイタダく。
②まず少し食べて様子をみる。これを2回ほどくり返して、何事もなければ全部イタダく。
③得体の知れないものには決して手をださずに、ただひたすら神に祈る。

キミが①のタイプなら、キミはせっかちな行動派。本書はキミが将来経験するかもしれない腱鞘炎や関節炎を、未然に防ぐことになるでしょう。キミが②のタイプなら、キミは慎重で思慮深いとてもよいベース·マンになるでしょう。本書の主旨ともぴったりです。何事にもウォーミング·アップが大切。特に、ベースは弦も太く、テンションも強いのですから。なお、本書の性格上、③については論評を避けさせていただきます。

スポーツやダンスはいうまでもなく、楽器の演奏においてもウォーミング·アップは非常に重要です。従来は「ほんの指ならし」という言葉のように軽視されてきましたが、音楽生理学の研究が進むにつれて、演奏前のウォーム·アップや激しい練習後のクール·ダウンが論じられるようになりました。

本書は、日常の練習や演奏の前に行うべきウォーム·アップの重要性や具体例、そしてスケールを中心とした60のエクササイズなどで構成されており、また最近、愛用者の増えた5弦および6弦ベースのエクササイズも含まれています。このクイックガイドは、コンパクト·サイズなのでいつも身近におくことができます。本書のエクササイズは不慮のケガを防ぐだけでなく、技術の向上にもきっと役立つでしょう。

もくじ

イントロダクション

ウォーム·アップがなぜ大切なのか

ウォーム·アップの練習を軽視するミュージシャンをしばしば見かけます。また、ほとんどのウォーム·アップ·エクササイズはとても簡単なために、中には、簡単に弾けるからとりあえず自分には必要ない、と考える人もいるでしょう。しかし、ウォーム·アップ·エクササイズは、ベース·プレイヤーが学ぶもっとも大切なもののひとつです。では、なぜそんなに大切なのでしょうか。

ベースは大きな楽器です。弦と弦がギターのように近く隣り合ってはいません。ベースの演奏には、ストレッチを伴います。特に、5弦、6弦、7弦のベースや大型のベースを演奏する場合は、より大きなストレッチが必要です。

プロ野球のピッチャーは、グラウンドに出ていきなり速いボールを投げたりはしません。ウォーム·アップが先です。ウォーム·アップをしないと、筋肉を痛めたり、重傷を負うことにもなりかねません。

ベースの演奏にも同じことが言えます。ウォーム·アップをしなければ、ひどいケガをしたり、筋肉を痛めてしまうかもしれません。若いプレイヤーたちは、そのようには感じません。ギグに飛び入り参加し、ウォーム·アップなしで3時間演奏し続けることができます。痛みもなく、問題ないと感じるでしょう。しかしそれは大間違です。

ウォーム·アップ·エクササイズを怠ると10年~20年先に、腱鞘炎、手根管症候群、関節炎などのような、長い期間にわたる重大な手の損傷の原因になりかねません。もし、あなたの手が使えなくなってしまったら、ベースどころの騒ぎではなくなるでしょう。ウォーム·アップ·エクササイズの大切なところは、長い月日の間に知らず知らず蓄積される手の損傷を未然に防いでくれるところにあります。

手を大事にしましょう。ベーシストとしての未来は両手にかかっているのですから。

ウォーム·アップの具体例

本書のウォーム·アップ·エクササイズは、長年、私が毎日くり返す練習の一部分となっています。また、ライヴ演奏の前に約30分をかけて行う練習でもあります。

ウォーム·アップ·エクササイズは、とてもゆっくりなテンポで始めます。5分後には、同じエクササイズをミディアム·テンポで弾きます。そして、さらに5分か10分後には、速いテンポで弾きます。その間には1分ごとに10秒か15秒の休憩を入れます。ライヴ演奏の度に弦を張り替える人には、このエクササイズは、新しい弦をなじませることにもなるのでとてもよい方法です。

このエクササイズを終えると、準備がすべて整ったという気持ちになれるのです。

ライヴで注意しなければならないこと

この章は、ウォーム·アップに加え、手のケガを避けるための注意です。特に、ツアー·バンド、バーや社交場などのバンドのベーシスト、または、友だち同士でジャム·セッションする人のための注意点です。

グローブ（手袋）

私たちのほとんどは、自分の機材を運んでくれる人がいるほどぜいたくではありません。音楽機材などを運ぶ際には必ず手袋をしましょう。そしてベース·キャビネットに指をはさむようなことがないように十分注意しましょう。手袋は厚手の クッションが入っているものが効果的です。

寝る時

寝る時に横向きになる人がいます。これは寝ている間、手や腕に自分の体重をかけて傷める原因になりかねません。手にとても悪いことなのです。3時間にわたるライヴの直後などは特に注意しましょう。またライヴの前もよくありません。長期の障害の原因になることを避けるためにも、私は横向きに寝ないように注意しています。

飲み物

ライヴの中間の休憩時には、私はストローを使って飲み物を飲みます。次の演奏の前の20分間に、氷が入ったつめたいグラスで指を冷やしてしまうことは、賢明とはいえません。

リラックス

演奏する時に、とても緊張する人もいます。大勢の観客の前で緊張することは自然なことです。しかし、あまりに緊張してしまうとその結果、弦を弾く右手の指に力が入りすぎて音色にも悪影響を与えてしまいます。アンプがきちんと音を出してくれるので、それほど強く弾く必要はないのです。いつもの練習の時のタッチを思い出して、軽ろやかに弾きましょう。演奏の前のウォーム·アップが本番のリラクシゼイションに有効なことを忘れてはいけません。

スケール

スケール練習は、手をウォーム·アップさせるのにとてもよい方法です。スケールの各音を2回ずつ弾きます。これは右手の指をウォーム·アップさせるために弾きます。右手の人さし指と中指を交互にします。左手は、1フレットに1本の指を使います。ですから、全部の指を使うことになります。このエグザンプルは、私のお気に入りのウォーム·アップのスケールです。

CD track 1 は、チューニングに続き、**Ex.1** を弾きます。最初の音は、左手の中指で押さえます。

Ex.1 Cメジャー・スケール

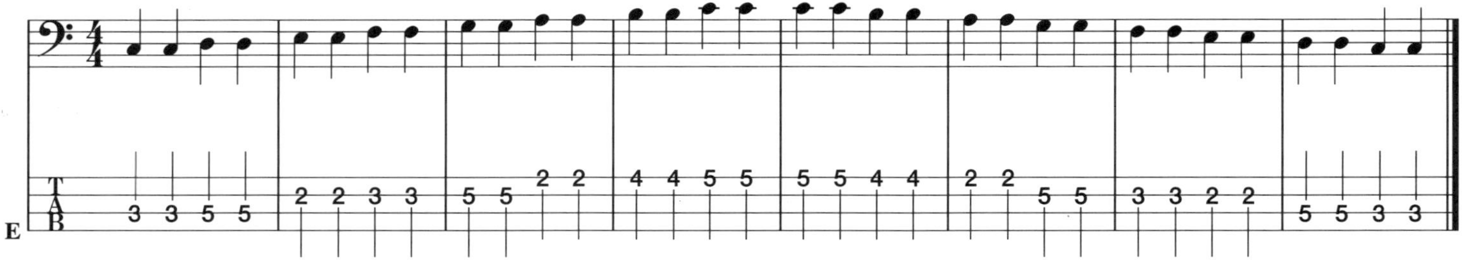

Ex.2 は、左手の人差し指で始めます。

Ex.2 Cマイナー・スケール

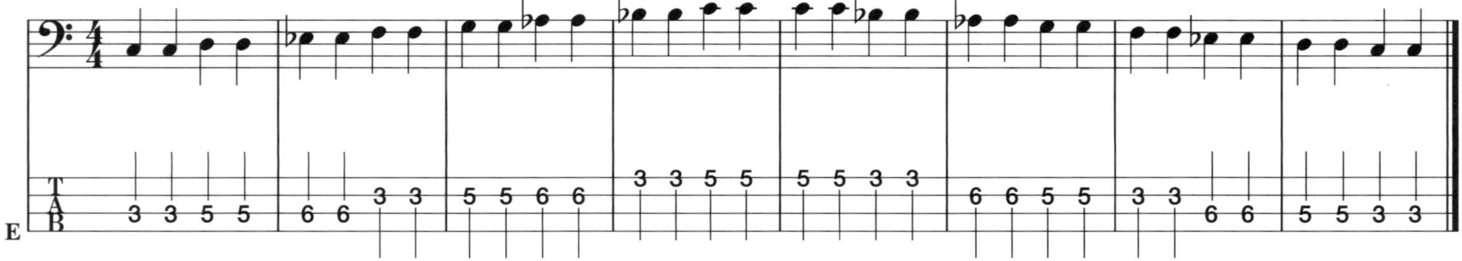

Ex.3は、左手の中指で始めます。

Ex.3 3 Cミクソリディアン・スケール

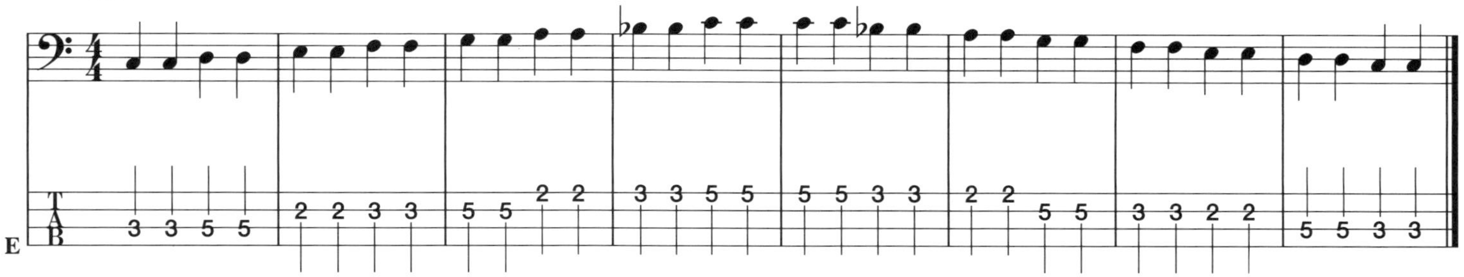

Ex.4は、左手の中指で始めます。

Ex.4 4 Cリディアン・スケール

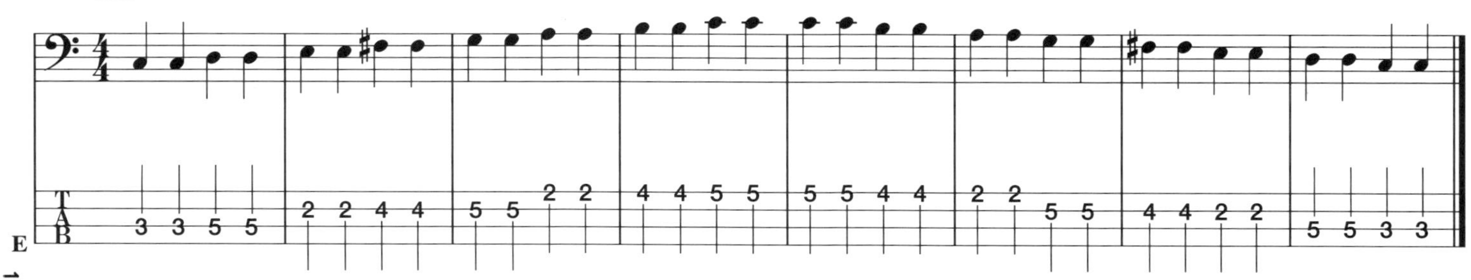

Ex.5は、左手の人差し指で始めます。

Ex.5 Cハーモニック・マイナー・スケール

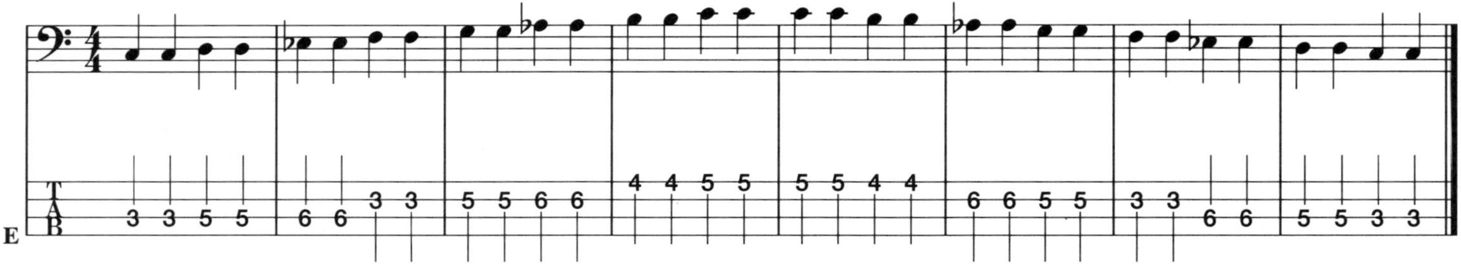

Ex.6は、左手の人差し指で始めます。

Ex.6 Cロクリアン（ハーフ・ディミニッシュ）・スケール

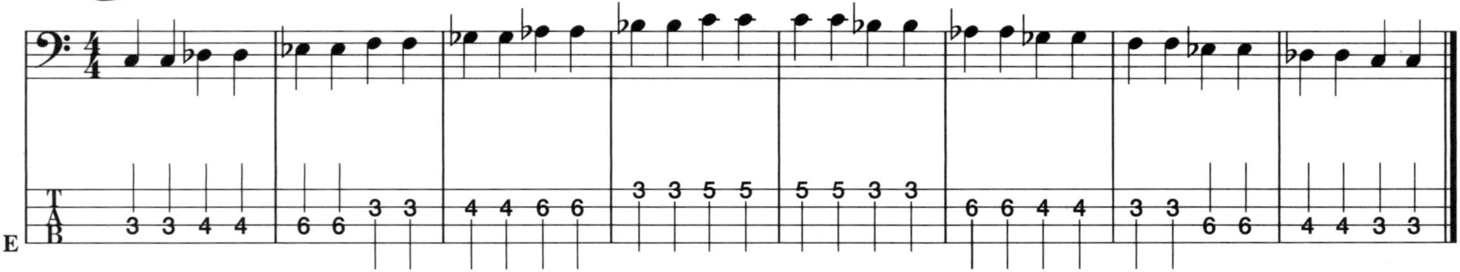

Ex.7は、左手の人差し指で始めます。

Ex.7　7　Cフリジアン・スケール

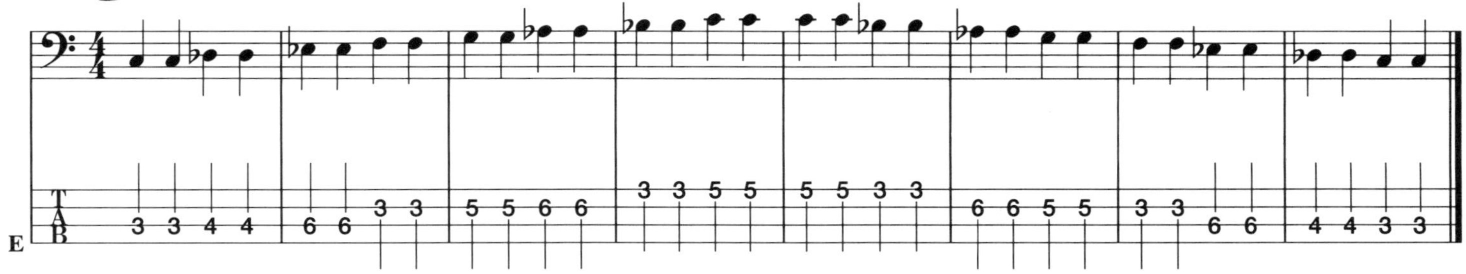

Ex.1～**Ex.7**のエクササイズは、Cのキーで書かれています。私は、毎回キーを変えてウォーム・アップをしています。1日めは、Cのキーで弾き、次の日はC♯のキーで弾きます。また次の日は、Dで弾きます。このように、すべてのキーでスケールを練習しましょう。

4弦ベース

Ex.8 8 3度音程で上行するGメジャー・スケール

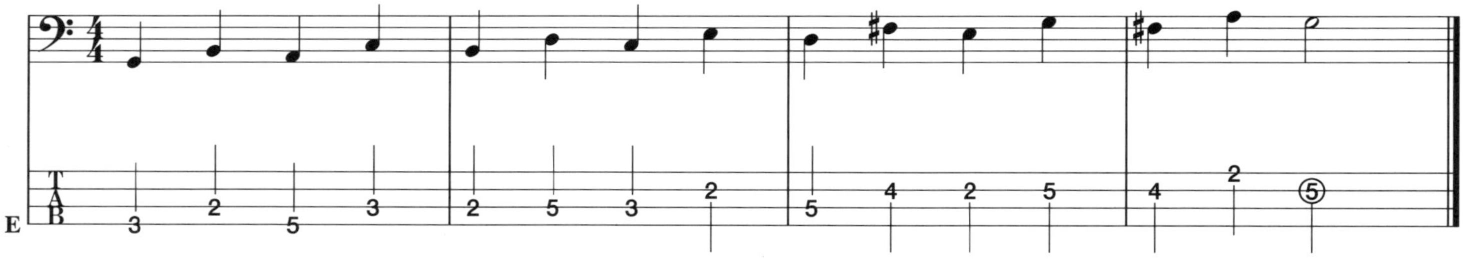

Ex.9 9 3度音程で上行するGマイナー・スケール

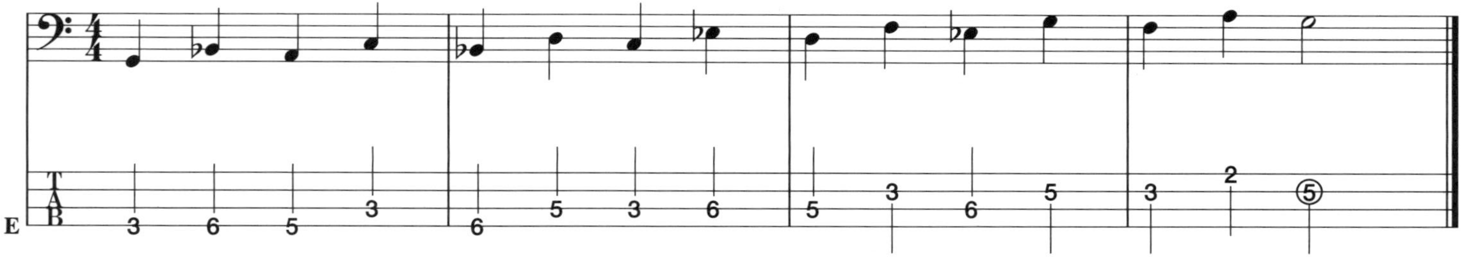

Ex.10 10 3度音程で下行するGメジャー・スケール

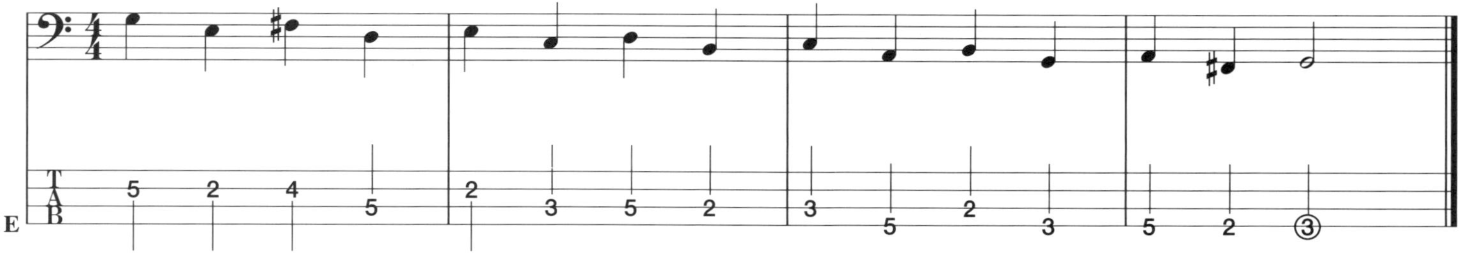

Ex.11 11 3度音程で下行するGマイナー・スケール

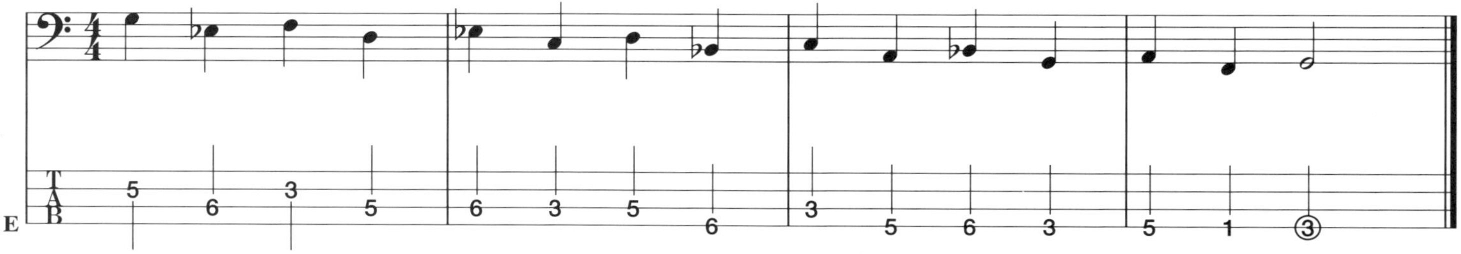

Ex.12 12

3音パターンで上行するGメジャー・スケール

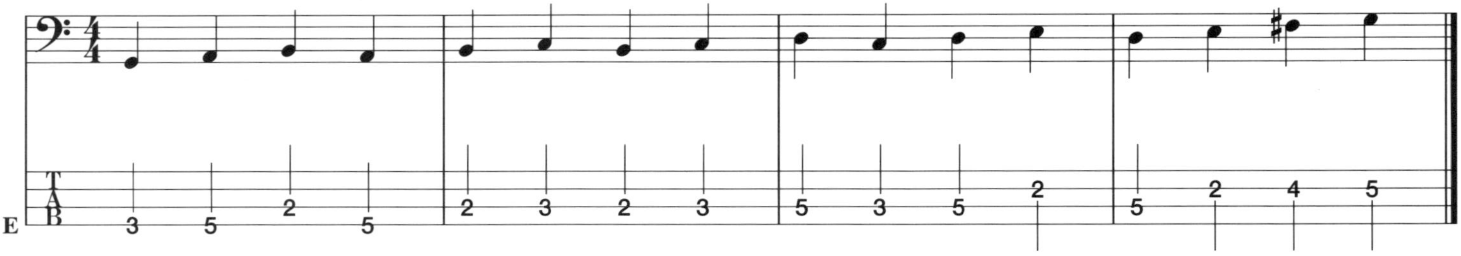

Ex.13 13

3音パターンで下行するGメジャー・スケール

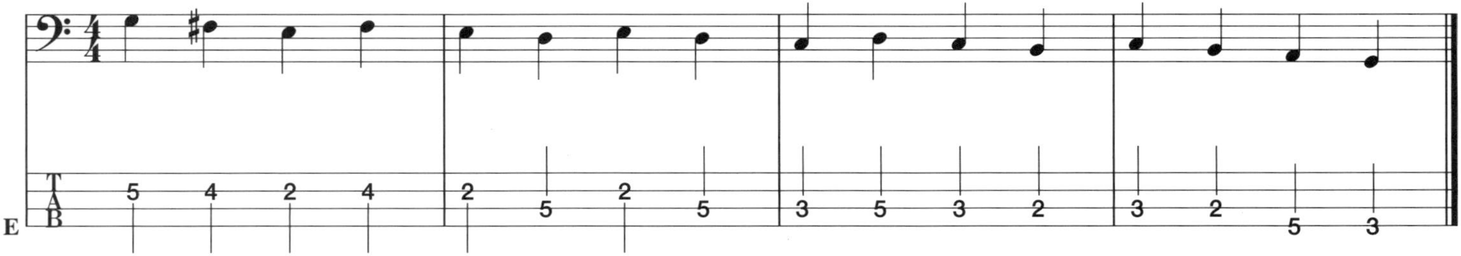

Ex.14 上行する2オクターヴのFメジャー・スケール

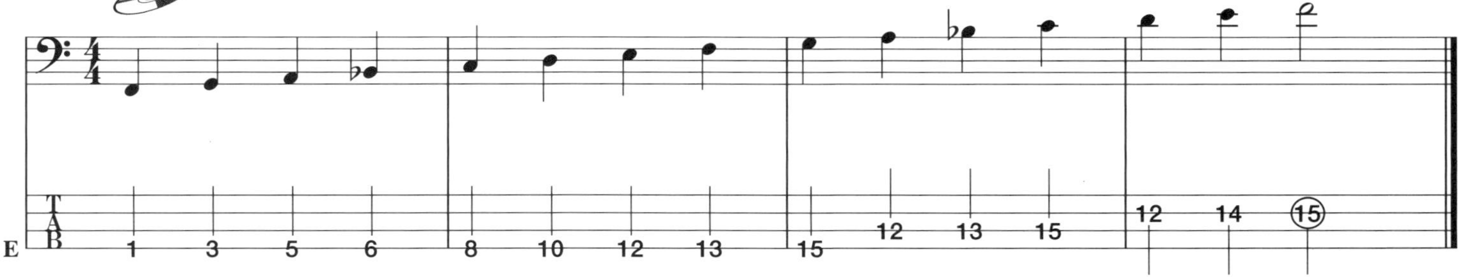

Ex.15 下行する2オクターヴのFメジャー・スケール

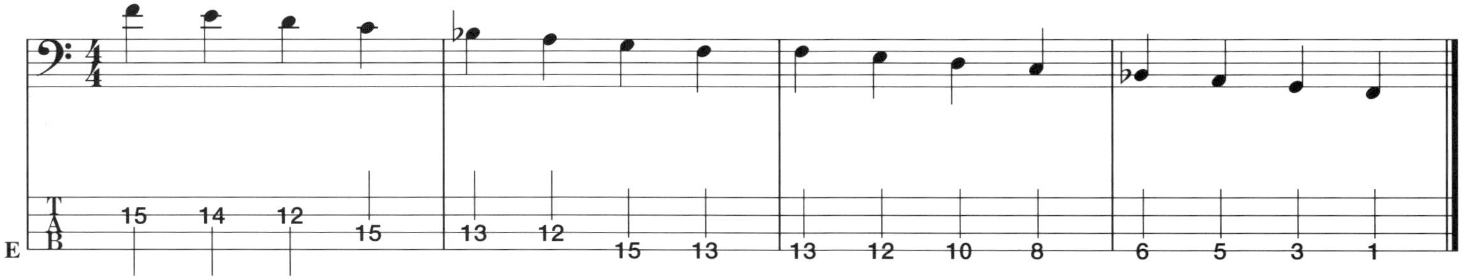

Ex.16 16 Ex.14の異なるフィンガリング（Fメジャー・スケール）

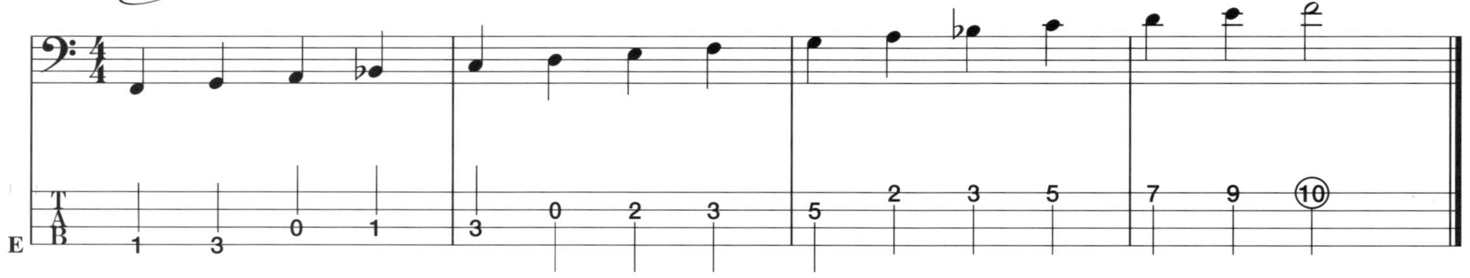

Ex.17 17 Ex.15のヴァリエーション（Fメジャー・スケール）

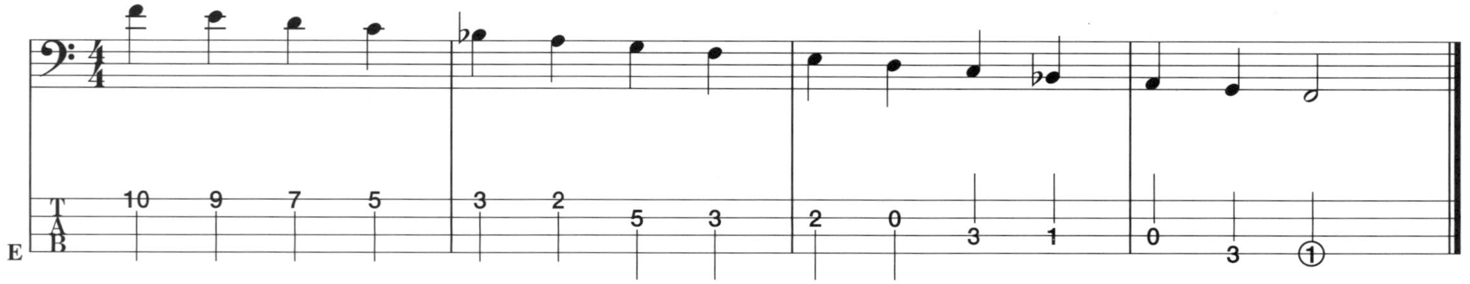

Ex.18 18 上行するFマイナー・スケール

Ex.19 19 下行するFマイナー・スケール

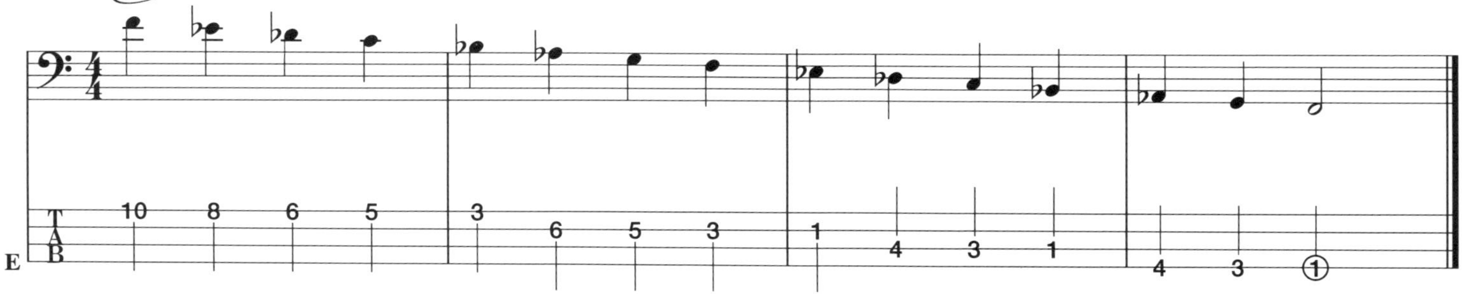

Ex.20 20 上行する2オクターヴのFマイナー・スケール

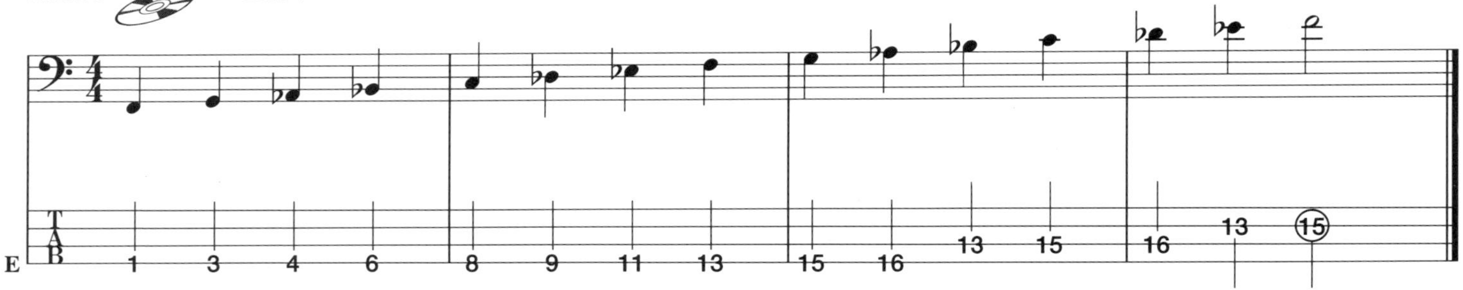

Ex.21 21 下行する2オクターヴのFマイナー・スケール

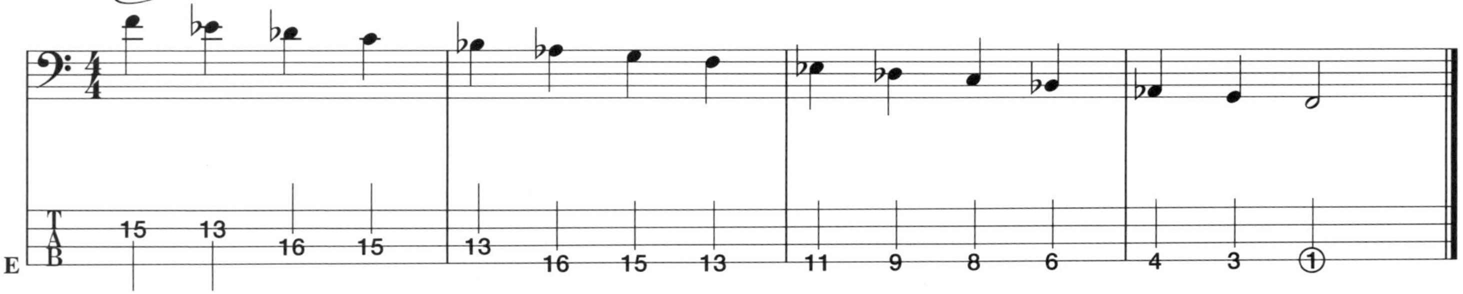

Ex.22 22 6度音程で上行するGメジャー・スケール

Ex.23 23 6度音程で上行するGマイナー・スケール

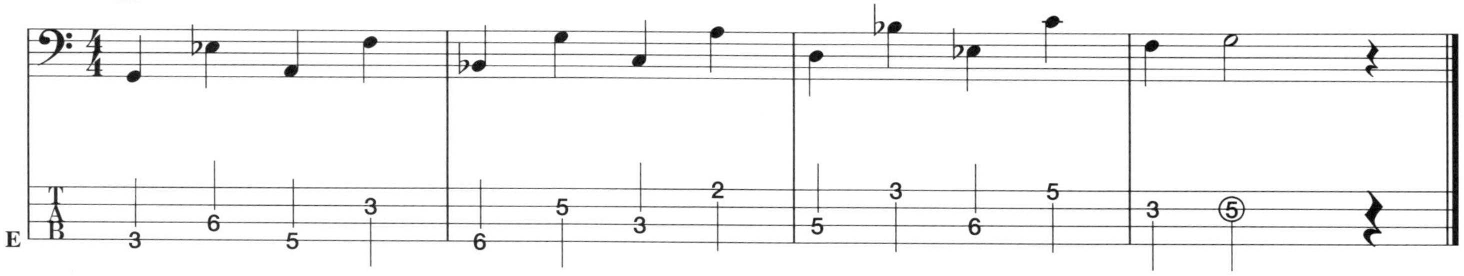

Ex.24 24 3音パターンで上行するFメジャー・スケール

Ex.25 25 3音パターンで上行するFマイナー・スケール

Ex.26 26 上行するGディミニッシュ・コードのアルペジオ

Ex.27 27 下行するGディミニッシュ・コードのアルペジオ

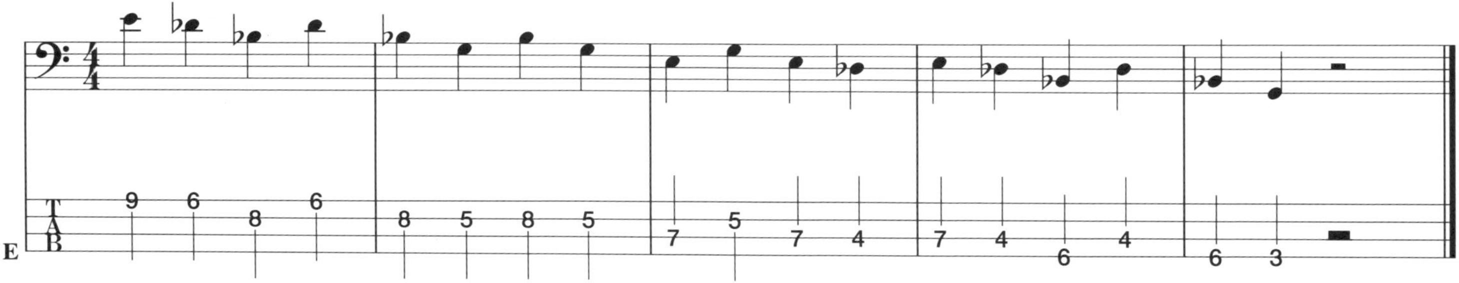

Ex.28 28 上行するディミニッシュ・コードのアルペジオ

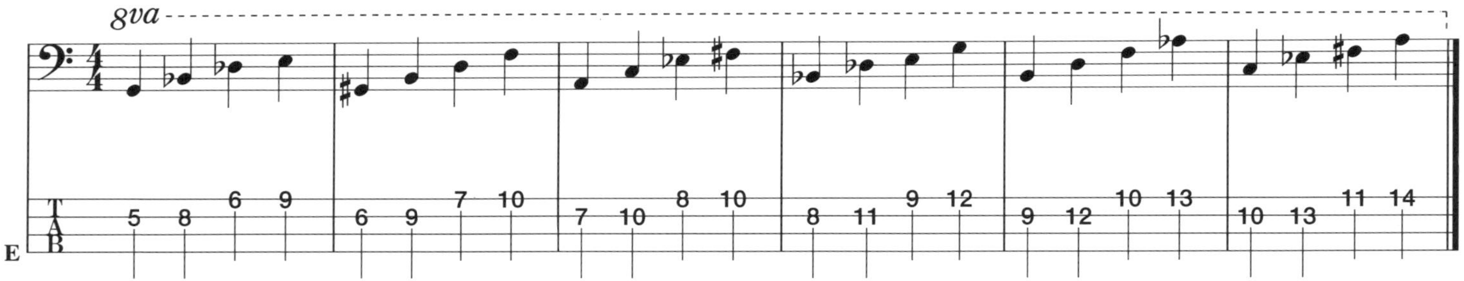

Ex.29 29 下行するディミニッシュ・コードのアルペジオ

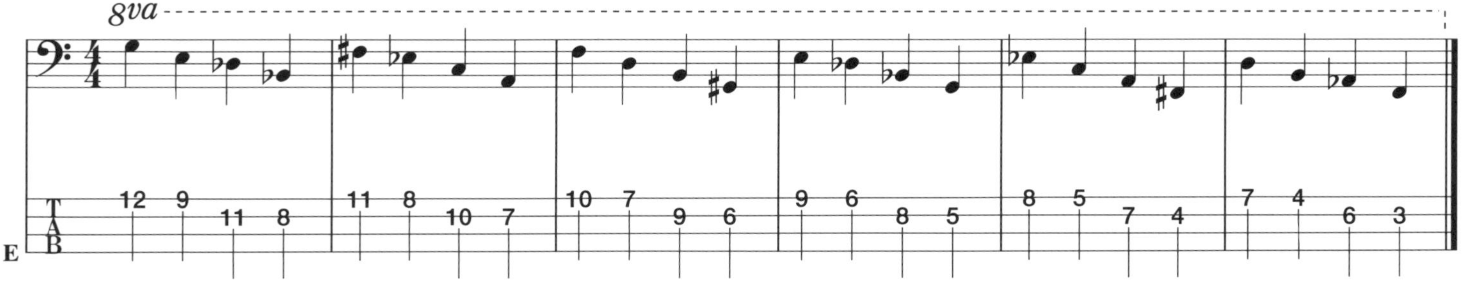

Ex.30 30 上行するAディミニッシュ・コードのアルペジオ

Ex.31 31 下行するAディミニッシュ・コードのアルペジオ

Ex.32 32 下行する4つのディミニッシュ・コードのアルペジオ

5弦ベース

Ex.33からのエグザンプルは、5弦ベース用に書かれています。5弦ベースを使うと、4弦ベースでは難しいフレーズが容易に弾けることがあります。たとえば、2オクターヴのスケールなどは、少しの移動で弾くことができます。

Ex.33 33 上行するDメジャー・スケール

Ex.34 34 下行するDメジャー・スケール

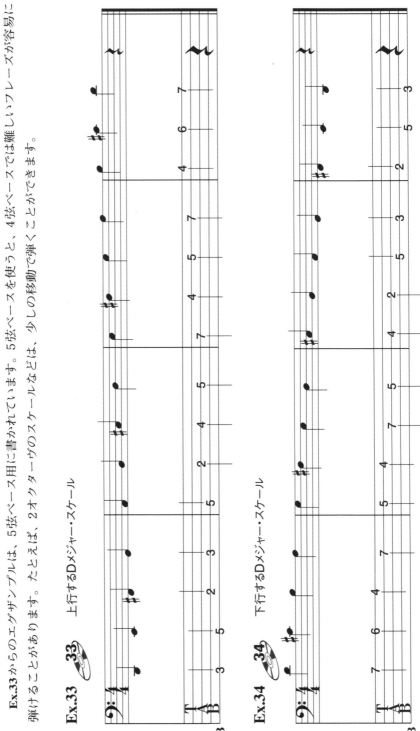

Ex.35 35 上行するDマイナー・スケール

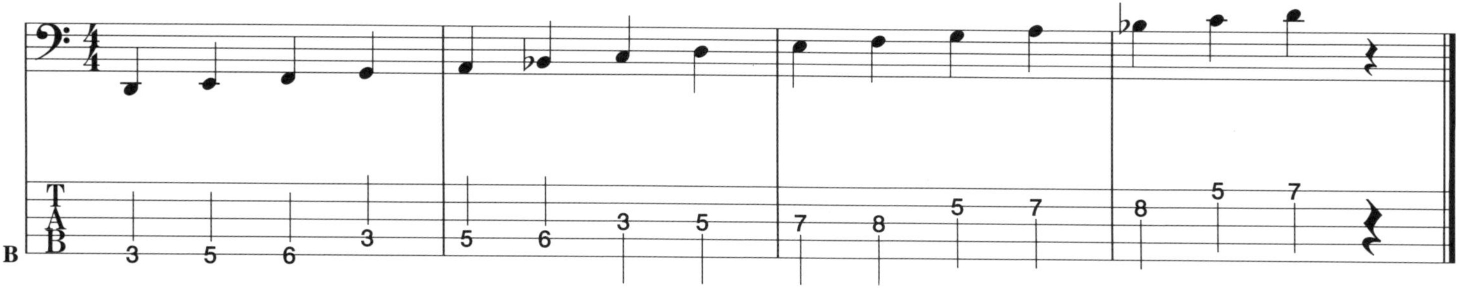

Ex.36 36 下行するDマイナー・スケール

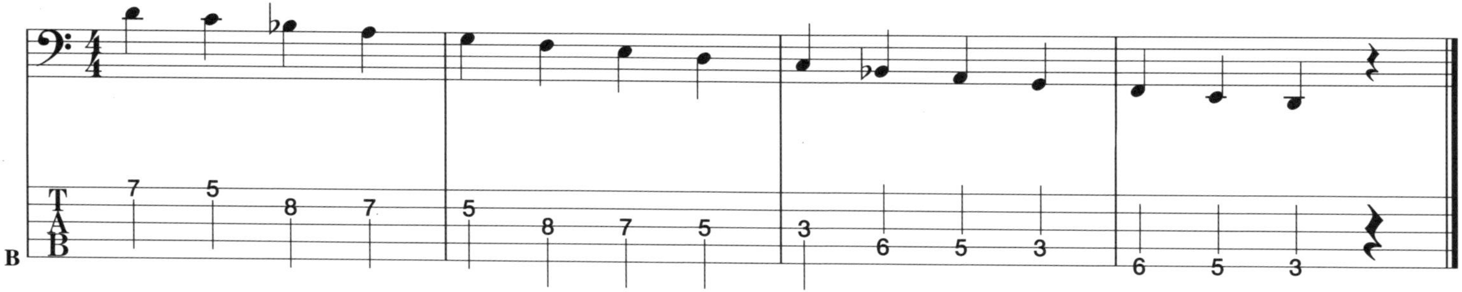

Ex.37 37 上行するDミクソリディアン・スケール

Ex.38 38 下行するDミクソリディアン・スケール

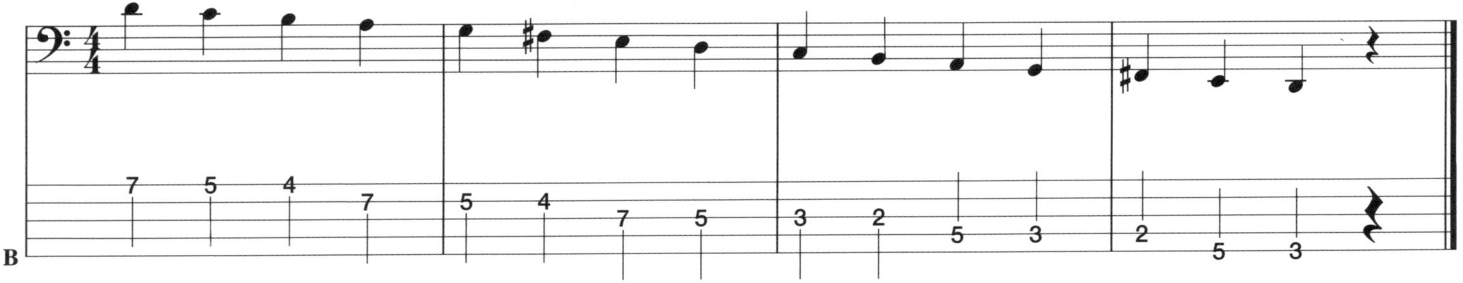

Ex.39 39 上行する3オクターヴのDメジャー・スケール

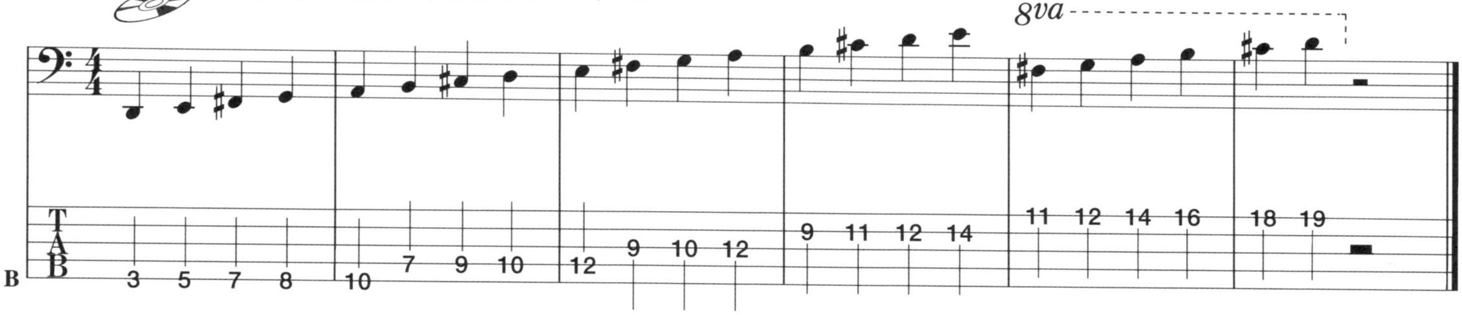

Ex.40 40 下行する3オクターヴのDメジャー・スケール

Ex.41 上行する3オクターヴのDマイナー・スケール

Ex.42 下行する3オクターヴのDマイナー・スケール

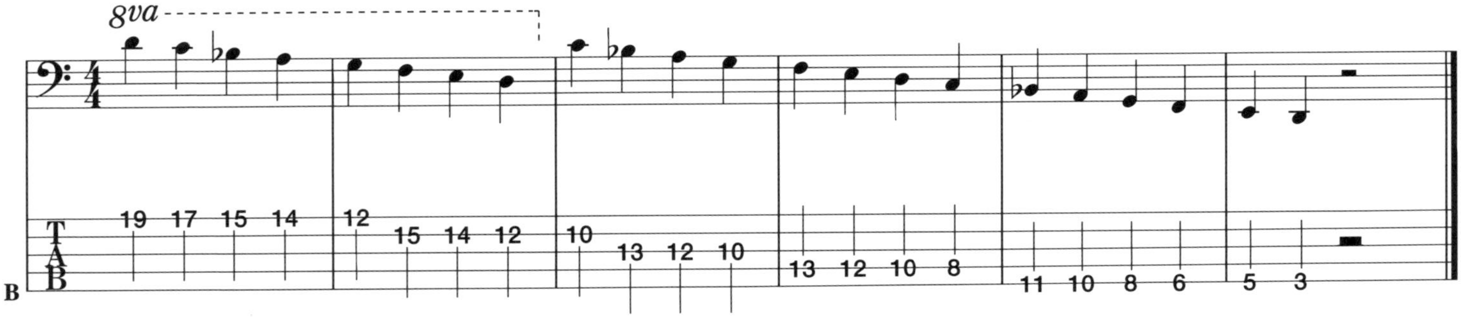

Ex.43 43 上行する3オクターヴのDミクソリディアン・スケール

Ex.44 44 下行する3オクターヴのDミクソリディアン・スケール

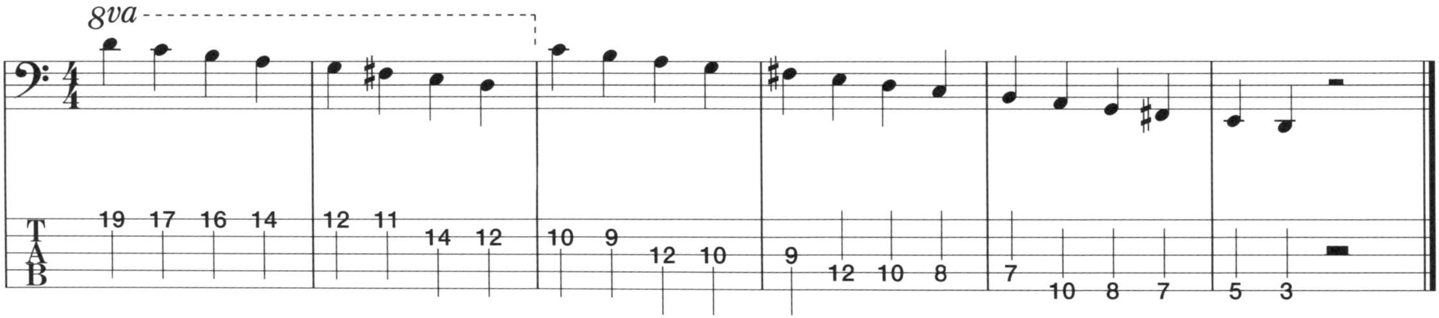

Ex.45 45 **Ex.39**の異なるフィンガリング（Dメジャー・スケール）

Ex.46 46 **Ex.45**の異なるフィンガリング（Dメジャー・スケール）= **Ex.39**

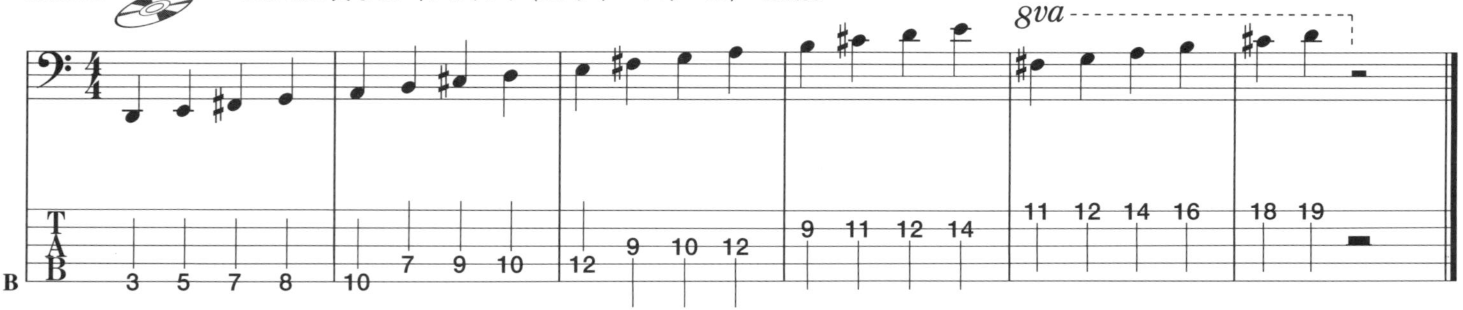

Ex.47 47 ディミニッシュの練習

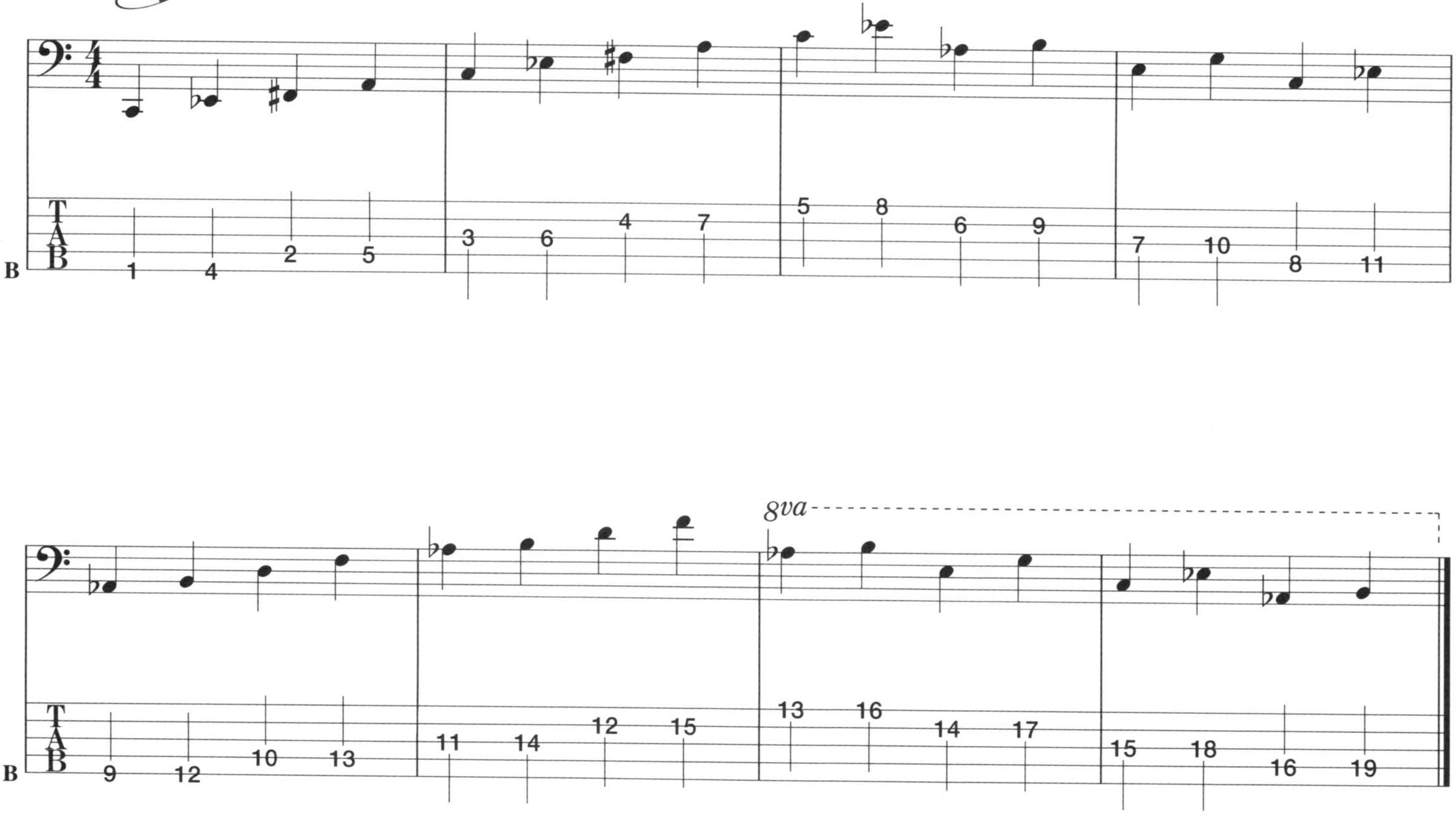

Ex.48 48 フィンガリングとピッキングのためのウォーム・アップ・エクササイズ 1

Ex.49 49 フィンガリングとピッキングのためのウォーム・アップ・エクササイズ 2

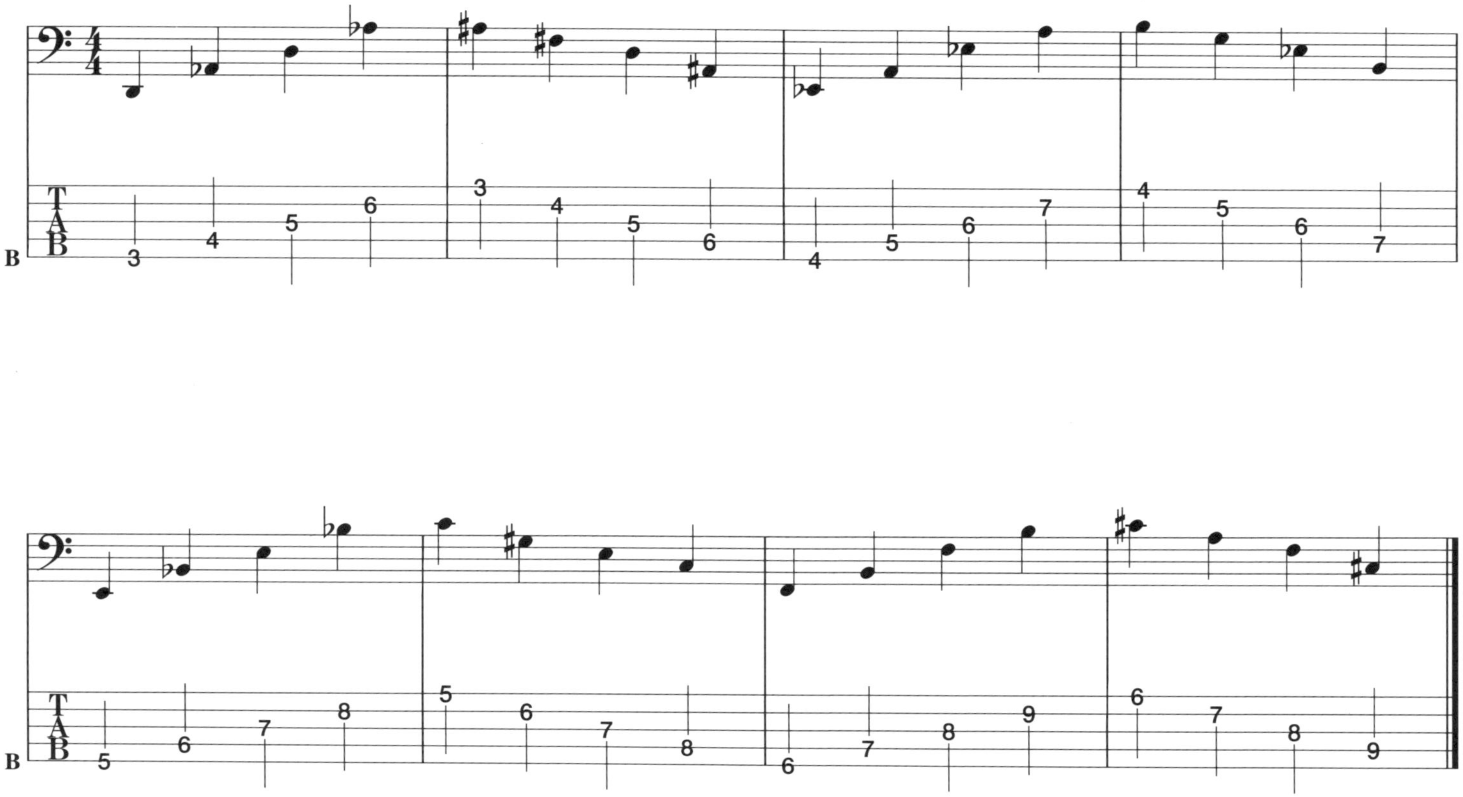

Ex.50 50 フィンガリングとピッキングのためのウォーム・アップ・エクササイズ 3

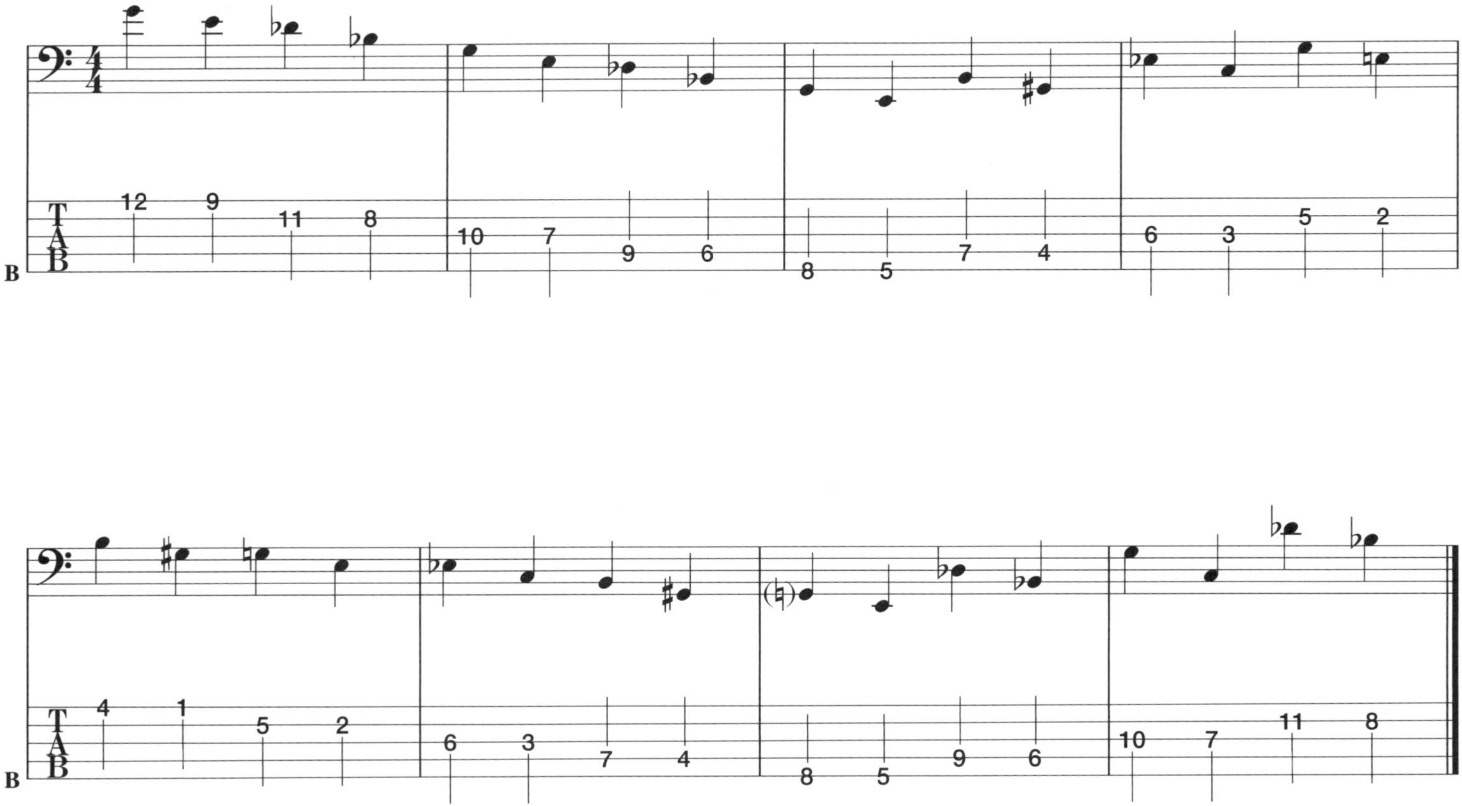

6弦ベース

6弦ベースは、普通では困難なものを現実的なものにしてくれます。その好例のいくつかをつぎにあげておきます。

Ex.51 51 上行するDメジャー・スケール

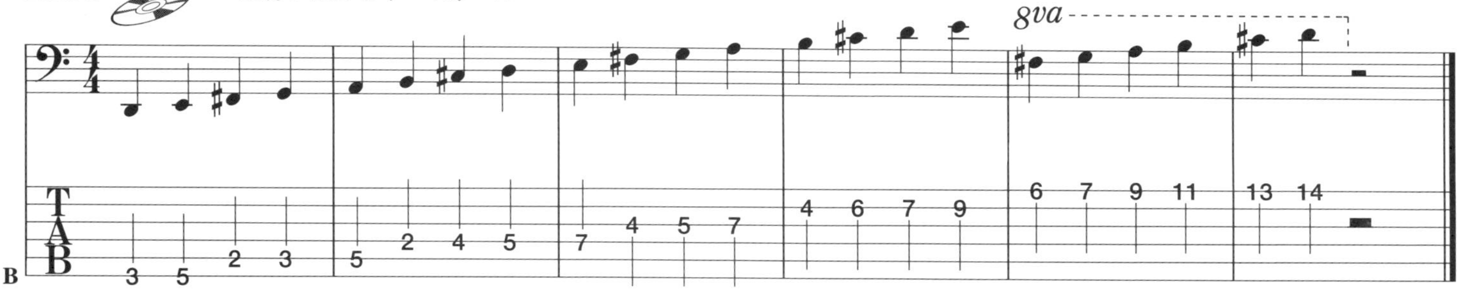

Ex.52 52 下行するDメジャー・スケール

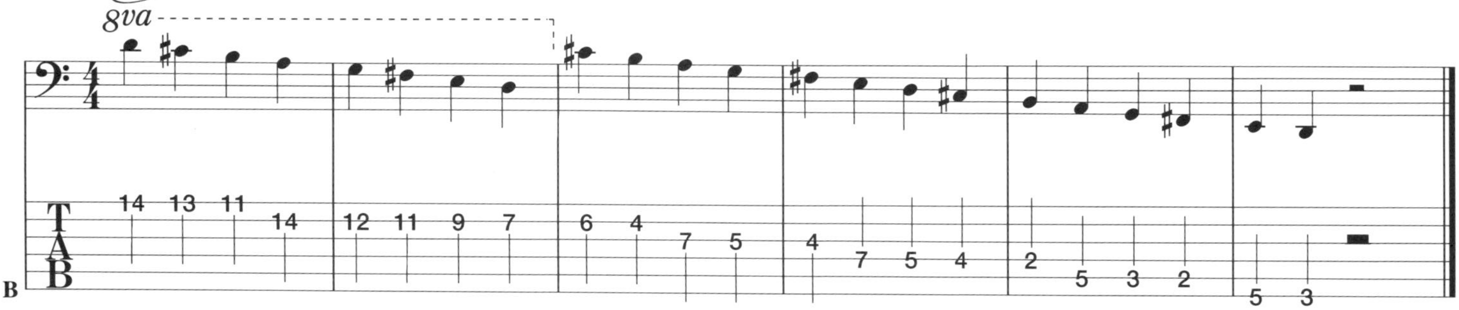

Ex.53 53 上行するDマイナー・スケール

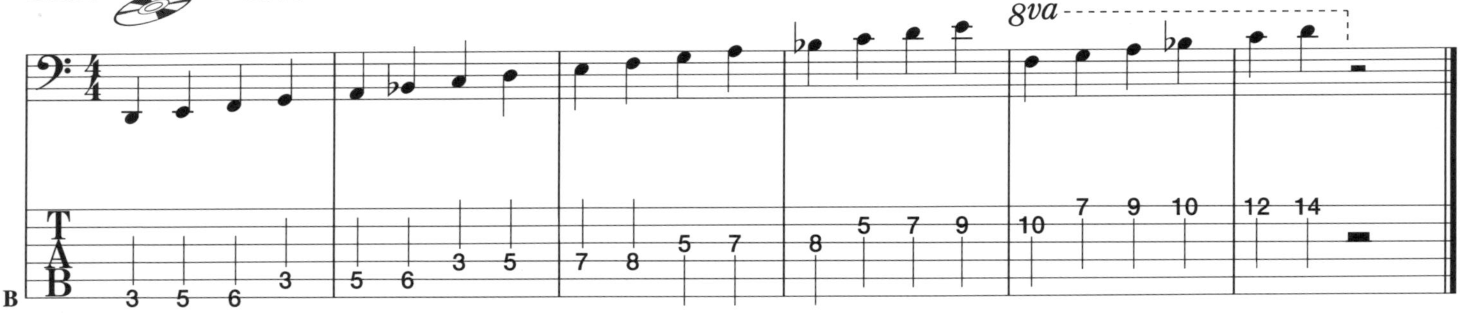

Ex.54 54 下行するDマイナー・スケール

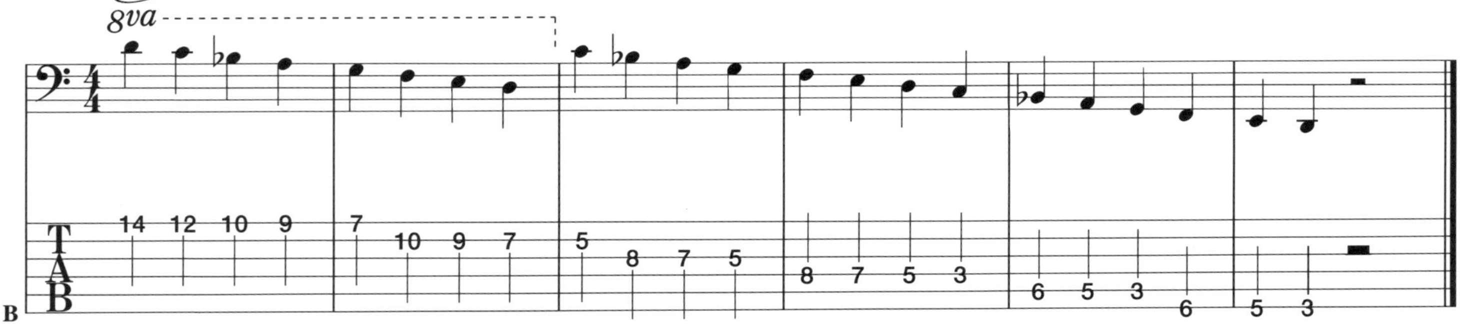

Ex.55 55 フィンガリングとピッキングのためのウォーム・アップ・エクササイズ 1

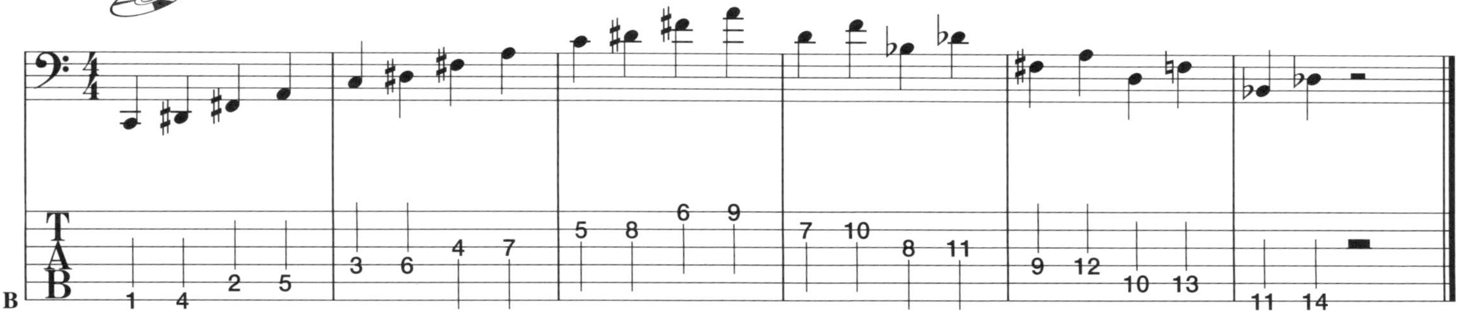

Ex.56 56 フィンガリングとピッキングのためのウォーム・アップ・エクササイズ 2

Ex.57 57 フィンガリングとピッキングのためのウォーム・アップ・エクササイズ 3

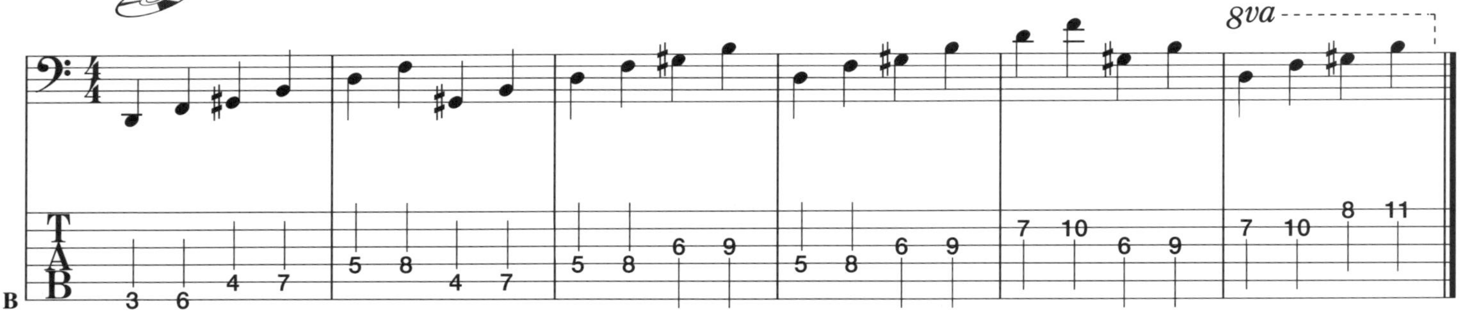

Ex.58 58 Eから始まる下行するCメジャー・スケール

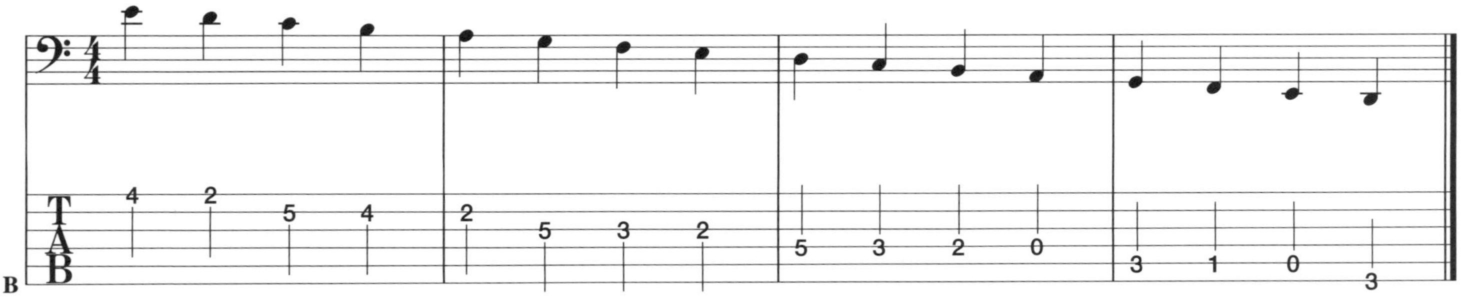

Ex.59 59 上行するCメジャー・スケール

Ex.60 60 下行するCディミニッシュ・コードのアルペジオ

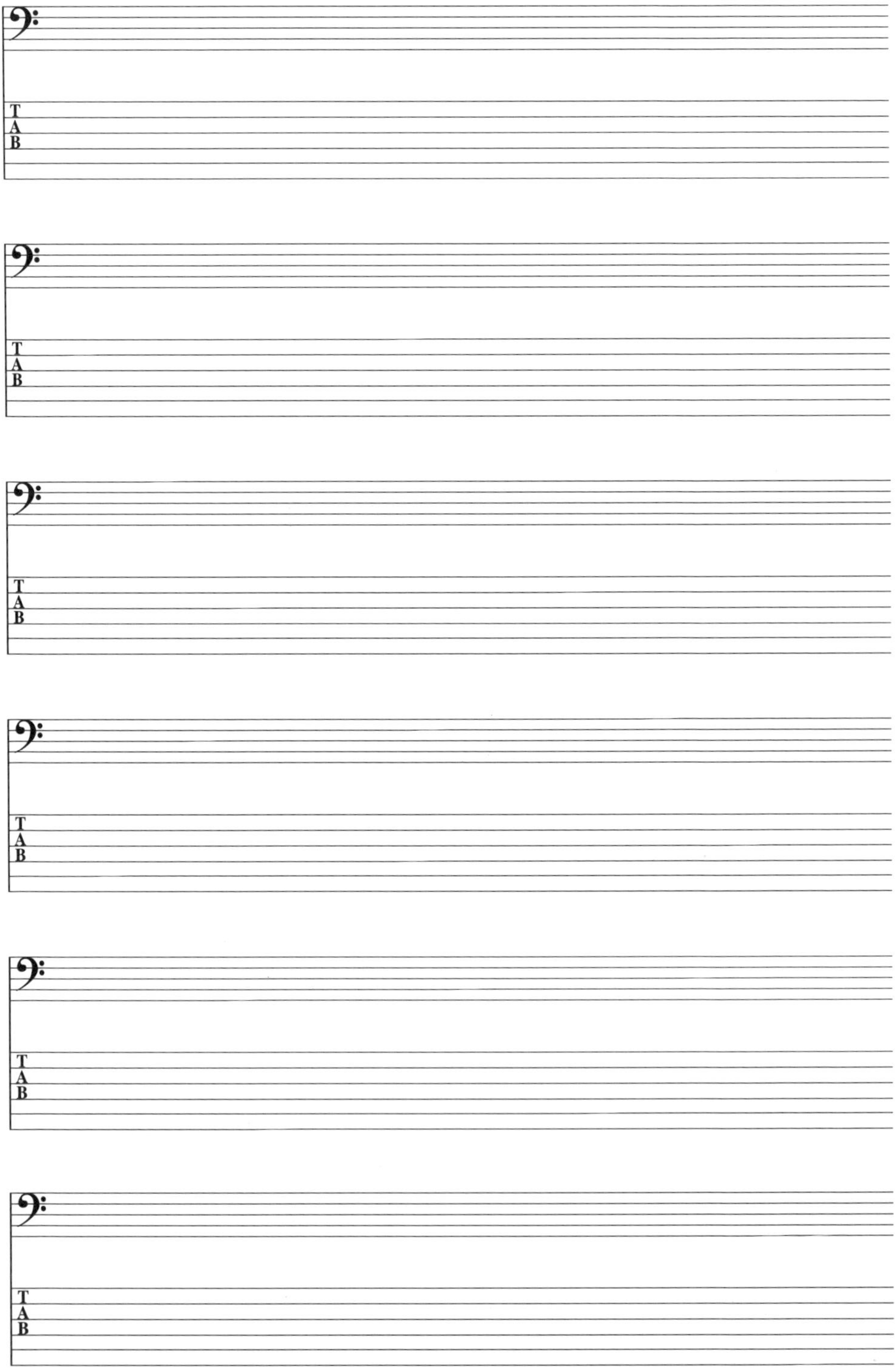
TAB
TAB
TAB
TAB
TAB
TAB

J.S.バッハ・フォー・ベース《CD付》

J.S. BACH FOR BASS

定価［本体2,800円+税］

J.S.バッハ=それは現代に至ってもなお、ミュージシャンにとって無縁でいられない偉大な存在
すべてのベーシスト必携のバッハ名曲集

● エレクトリック・ベースで、バッハの芸術を体験し、ソロによる愛奏曲集として、また演奏テクニック、イヤー・トレーニング、フレージングへの応用など、効果的な練習のために。そして、バッハのメロディーの研究材料として利用できるように、まとめたものです ● もちろんCDの模範演奏は超一流のベーシストがプレイしています（*by Josquin des Pres*） ●TAB譜付

【曲　目】
『プレリュード 第1番 ハ長調』アンナ・マグダレーナのためのクラヴィーア小曲集より／『プレリュード』無伴奏チェロ組曲 第1番 ト長調より／『プレリュード』無伴奏チェロ組曲 第2番 ニ短調より／『クーラント』無伴奏チェロ組曲 第2番 ニ短調より／『クーラント』無伴奏チェロ組曲 第3番 ハ長調より／『クーラント』無伴奏ヴァイオリン・パルティータ 第1番 ロ短調より／『クーラント』無伴奏ヴァイオリン・パルティータ 第2番 ニ短調より／『ブーレ』無伴奏ヴァイオリン・パルティータ 第3番 ホ長調より／『プレスト 無伴奏ヴァイオリン・ソナタ 第1番 ト短調より／『アレグロ・アッサイ』無伴奏ヴァイオリン・ソナタ 第3番 ハ長調より

日本語翻訳解説書付輸入楽譜

マスターピース・フォー・ベース《CD付》

CLASSICAL MASTERPIECES FOR BASS

ベーシストの音楽ヴォキャブラリーを拡げるクラシック名曲集

● サティ、バッハ、ベートーヴェン、モーツァルトの作品の中から、誰もが知っている珠玉の名曲をエレクトリック・ベース用にアレンジ ● ソロはもちろん、デュオのアレンジもあり、付属のCDには各パートを別々にレコーディングされているので、アンサンブルの楽しさも味わえる ● クラシックの名曲を体験しながら、ベース・ソロのヴォキャブラリーを拡げ、テクニック、イヤー・トレーニング、アレンジ、フレージングの効果的な練習ができる ●TAB譜付

【曲　目】アイネ・クライネ・ナハトムジーク(モーツァルト）／ジムノペディ第1番（サティ）／ブーレ ホ短調（J.S.バッハ）／ピアノ・ソナタ 月光（ベートーヴェン）／エリーゼのために（ベートーヴェン）／G線上のアリア（J.S.バッハ）／主よ、人の望みの喜びよ（J.S.バッハ）

QWIKGUIDE™

クイックガイド・シリーズ

ロック・ギター・ライン《CD付》
FAMOUS ROCK GUITAR LINES

カントリー・ギター・ライン《CD付》
FAMOUS COUNTRY GUITAR LINES

ブルース・ギター・ライン《CD付》
FAMOUS BLUES GUITAR LINES

ブルース・ベース・ライン《CD付》
FAMOUS BLUES BASS LINES

ブルース・ハープを吹こう《CD付》
BASIC BLUES HARP

クロマティック・ハーモニカを吹こう《CD付》
BASIC CHROMATIC HARMONICA

ドラマーのためのウォーム・アップ・エクササイズ《CD付》
15-MINUTE WARM-UPS FOR DRUMS

ドラマーのための16ビート・エクササイズ《CD付》
DRUM SET DAILIES/RUDIMENTAL APPLICATION FOR DRUM SET

ベーシストのためのウォーム・アップ・エクササイズ《CD付》
BASS WARM-UPS

ビルディング・ベース・テクニック《CD付》
BUILDING AMAZING BASS TECHNIQUE

フラットピッキング・ギター・ウォーミング・アップ《CD付》
GUITAR WARM-UP STUDIES AND SOLOS

ジャズ・ギター・チューン《CD付》
JAZZ TUNES

フラットピッキング・ギター・テクニック《CD付》
TUNES FOR GUITAR TECHNIQUE

... さらにシリーズは続きます。

【近刊予定】
以下は仮タイトルです。ご注文・ご予約の際は英語のタイトルを参考にしてください。
(2001年7月現在)

ジャズ・ベース・ライン《CD付》
FAMOUS JAZZ BASS CHORD PROGRESSIONS

ブルース・ギター・ソロ《CD付》
GREAT BLUES SOLOS

5弦バンジョー・ソロ《CD付》
FAMOUS BANJO PICKIN' TUNES

フィンガーピッキング・ギター・チューン《CD付》
GREAT FINGERPICKING TUNES

フラットピッキング・ギター・チューン《CD付》
FAVORITE GUITAR PICKIN' TUNES

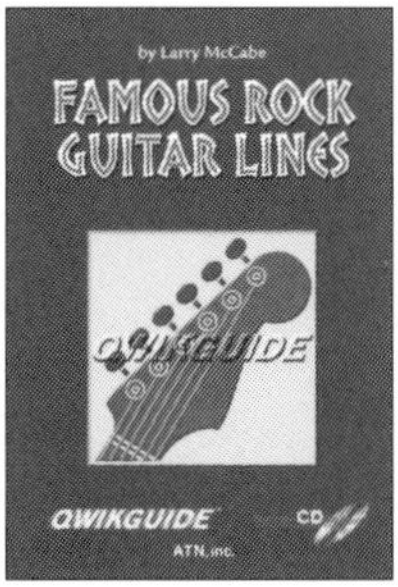

Include CD disc

ATN, inc.

BASS WARM-UPS
ベーシストのための
ウォーム・アップ・エクササイズ

発行日　2001年 7月20日（初版）
著者　Chris Matheos
翻訳・採譜　中村　春香
監修　林　雅諺
楽譜作成　株式会社 アルス ノヴァ
発行・発売　株式会社 エー・ティー・エヌ

住所　〒161-0033
東京都新宿区下落合 3-12-21 目白エミネンス102
TEL 03-6908-3692 / FAX 03-6908-3694
ホーム・ページ　http://www.atn-inc.jp

3929

ISBN4-7549-3929-8